GAEL

Y LAS SOMBRAS
DE LA HUIDA

UNA NOVELA GRÁFICA DE **ERNESTO RODRÍGUEZ**

difusión

GAEL
Y LAS SOMBRAS DE LA HUIDA

UNA NOVELA GRÁFICA DE **ERNESTO RODRÍGUEZ**

Título: *Gael y las sombras de la huida*
Texto e ilustraciones: Ernesto Rodríguez

Coordinación editorial y pedagógica: Pablo Garrido
Redacción: Pablo Garrido
Glosario y actividades: Ernesto Rodríguez
Concepto gráfico cubierta e interior: Oscar García Ortega, Pablo Garrido
Maquetación: Oriol Frias

Agradecimientos del autor:
Quiero agradecer a Agnès Berja su ayuda y cariño durante todo el
proceso de creación del cómic; a Sergio Gómez, ser mi musa y prestarse
a aparecer en esta historia.

ISBN: 978-84-16657-59-9
Reimpresión: marzo 2020
Impreso en España por Novoprint

difusión
Centro de
Investigación y
Publicaciones
de Idiomas, S. L.

C/ Trafalgar, 10, entlo. 1ª
08010 Barcelona
Tel. (+34) 93 268 03 00
Fax (+34) 93 310 33 40
editorial@difusion.com

www.difusion.com

MIXTO
Papel procedente de
fuentes responsables
FSC® C019520

GAEL

Y LAS SOMBRAS DE LA HUIDA

UNA NOVELA GRÁFICA DE ERNESTO RODRÍGUEZ

Índice

Presentación

Gael y las sombras de la huida es la segunda historia de Gael, un ladrón de guante blanco que recibe el difícil encargo de robar en la mansión Duschek, uno de los lugares más exclusivos de la isla de Mallorca. Nuestro protagonista se ve envuelto en una trama en la que se mezclan el suspense, las mentiras, la acción y el romance.

Gracias a las imágenes y al uso de un lenguaje sencillo, vas a poder seguir esta emocionante historia hasta el final y disfrutar de la lectura en español. Además, puedes acercarte a la lengua que se oye en la calle, llena de expresiones coloquiales.

Para facilitar la lectura, al final del libro hay un glosario en tres idiomas (inglés, francés y alemán). Además, te proponemos actividades para ampliar y consolidar tu vocabulario o profundizar en aspectos culturales.

Esperamos que disfrutes de *Gael y las sombras de la huida* y te deseamos una interesante y divertida lectura.

GAEL

GAEL ES UN LADRÓN DE GUANTE BLANCO ESPECIALI- ZADO EN ROBAR OBRAS DE ARTE, PERO QUE ESTA VEZ TIENE UN TRABAJO UN POCO ESPECIAL: SU EXNOVIA, MARTA, NECESITA ROBAR LOS CONTRATOS DE LA FAMILIA DUSCHEK PARA EVITAR SU BODA. ¿QUÉ VA A HACER GAEL? ¿VA A ESCUCHAR A SU RAZÓN O A SU CORAZÓN?

GÓMEZ

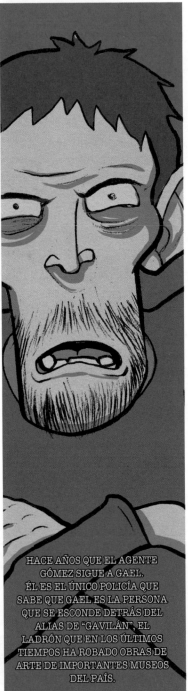

HACE AÑOS QUE EL AGENTE GÓMEZ SIGUE A GAEL. ÉL ES EL ÚNICO POLICÍA QUE SABE QUE GAEL ES LA PERSONA QUE SE ESCONDE DETRÁS DEL ALIAS DE "GAVILÁN", EL LADRÓN QUE EN LOS ÚLTIMOS TIEMPOS HA ROBADO OBRAS DE ARTE DE IMPORTANTES MUSEOS DEL PAÍS.

MARTA

MARTA LARRAZ ES LA EXNOVIA DE GAEL Y AHORA ES TAMBIÉN SU NUEVA CLIENTA. NECESITA HACER DESAPARECER UNOS CONTRATOS DE LA MANSIÓN DUSCHEK. ¿POR QUÉ HA LLAMA- DO A GAEL PARA ESTE TRABA- JO? ¿QUÉ INTENCIONES TIENE?

MICLAUS CARMEN BASTIAN

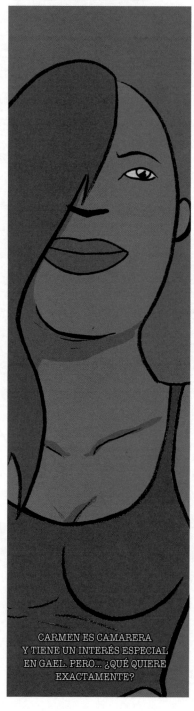

MICLAUS ES EL SOCIO DE GAEL Y ES QUIEN LE PROPOR-CIONA TODA LA INFORMACIÓN QUE NECESITA PARA COME-TER EL ROBO. ES UN HOMBRE METÓDICO Y TRANQUILO QUE NO SABE QUE, EN ESTE TRA-BAJO, VA A PERDER LOS NERVIOS MÁS DE UNA VEZ.

CARMEN ES CAMARERA Y TIENE UN INTERÉS ESPECIAL EN GAEL. PERO... ¿QUÉ QUIERE EXACTAMENTE?

BASTIAN ES EL HIJO DEL SEÑOR DUSCHEK Y EL FUTURO PROMETIDO DE MARTA SI GAEL NO LO IMPIDE.

¿UN TRABAJO? TÚ NO NECESITAS ROBAR NADA, YA LO TIENES TODO.

¿QUÉ QUIERES DECIR?

HE LEÍDO LA PRENSA: ESTÁS SALIENDO CON BASTIAN DUSCHEK.

SU FAMILIA ES AÚN MÁS PODEROSA QUE TU FAMILIA.

TODO ES MENTIRA.

¿CÓMO?

TODO ES MENTIRA.

NO QUIERO A BASTIAN: ES TONTO, NO ME INTERESA.

MI PADRE QUIERE CASARME CON ÉL PORQUE EL PADRE DE BASTIAN LE HA PROMETIDO ALGO A CAMBIO.

¿QUÉ LE HA PROMETIDO?

EL CONTRATO DE PROPIEDAD DE UNOS TERRENOS. ES DECIR, QUE MI PADRE ME QUIERE VENDER.

¿TE LO PUEDES CREER? TENGO QUE HACER ALGO.

ALGUIEN TIENE QUE DESTRUIR ESE CONTRATO.

...¿POR QUÉ YO?

TRES DÍAS DESPUÉS.
FALTAN **25** DÍAS
PARA LA FIESTA EN
LA MANSIÓN DUSCHEK

EDITORIAL DIFUSIÓN PRESENTA

GAEL
Y LAS SOMBRAS DE LA HUIDA

GAEL: Por cierto, necesito un plano de la mansión Duschek. Creo que hay una forma de entrar, pero no estoy seguro.

MICLAUS: De acuerdo, lo voy a buscar y te lo envío por email.

GAEL: Gracias.

MICLAUS: ¿Te gusta Mallorca?

GAEL: No, no me gustan las islas. Escapar de una isla siempre es difícil.

MICLAUS: ¿Has pensado en la forma de escapar después del robo?

GAEL: Todavía no...

MICLAUS: Es importante, Gael. Todavía tienes tiempo para pensar en ello. Si necesitas algo, dímelo.

MICLAUS TIENE RAZÓN, TENGO QUE PLANEAR LA ESCAPADA.

ESTA VEZ NO TE VAS A ESCAPAR, GAEL...

SEÑOR VALLÉS, TENGO QUE INSISTIR...

GAEL ES QUIEN HA ROBADO EL PICASSO DE LA GALERÍA VON BUTERHOFF Y EL GARGALLO DEL MUSEO REINA SOFÍA...

BASTA, AGENTE GÓMEZ, BASTA.

HACE CUATRO AÑOS QUE INVESTIGO LOS ROBOS DE GAVILÁN Y LE PUEDO ASEGURAR QUE SU NOMBRE REAL ES GAEL...

LO QUE TIENES QUE HACER ES CENTRARTE EN TU TRABAJO Y OLVIDARTE DE ESE TAL GAEL.

¡NO ME INTERESA TU TEORÍA, GÓMEZ!

MIRE, HE ESCRITO UN INFORME QUE EXPLICA MI TEORÍA.

UNA TEORÍA NO ES SUFICIENTE SI NO HAY PRUEBAS.

¿CREES QUE ESE TAL GAEL ES EL FAMOSO GAVILÁN? PUES DEMUÉSTRAMELO, PERO NO CON TEORÍAS... ¡DEMUÉSTRALO CON HECHOS!

PERO... ¿CÓMO?

ATRAPA A GAEL CON LAS MANOS EN LA MASA.

ESTA VEZ TE VOY A ATRAPAR, GAEL.

OBSERVO CADA PASO QUE DAS, CADA DECISIÓN QUE TOMAS.

CAMINO DETRÁS DE TI CADA METRO DE ESTA ISLA. SÉ CUÁLES SON TUS PROBLEMAS EN ESTE TRABAJO.

PERO TÚ NO SABES CUÁL ES TU MAYOR PROBLEMA.

PORQUE TU MAYOR PROBLEMA SOY YO.

DEFINITIVAMENTE, LA MEJOR FORMA DE ENTRAR EN LA MANSIÓN ES POR LA PUERTA DEL JARDÍN QUE HAY EN LA PARTE DE ATRÁS.

FALTAN 17 DÍAS PARA LA FIESTA

17 DÍAS PARA EL ROBO

GRACIAS POR LOS PLANOS DE LA MANSIÓN, MICLAUS. ¿HA SIDO DIFÍCIL ENCONTRARLOS?

NO, SOLO HE NECESITADO UN RATO EN LA WEB PROFUNDA.

AHORA SÉ QUE TENGO QUE ENTRAR EN LA MANSIÓN POR LA PUERTA DEL JARDÍN TRASERO...

... PERO NO SÉ CÓMO LLEGAR HASTA LA CAJA FUERTE.

NECESITO ENTRAR EN LA MANSIÓN UNOS DÍAS ANTES DE LA FIESTA.

¿ALGUNA IDEA?

SÍ. HE VISTO QUE LA FAMILIA DUSCHEK HA CONTRATADO UN SERVICIO DE JARDINERÍA.

¿QUIERES SER JARDINERO POR UN DÍA?

DE ACUERDO.

¿DÓNDE ESTÁ EL CONTRATO?

EN EL DESPACHO DEL SEÑOR DUSCHEK, EN UNA CAJA FUERTE.

¿TIENES EL CÓDIGO PARA ABRIRLA?

NO.

¿Y QUÉ PIENSAS HACER?

IMPROVISAR.

GRACIAS POR DEJARME ENTRAR, HÉCTOR.

LO HAGO POR MICLAUS, ES UN BUEN AMIGO.

SUS HABILIDADES INFORMÁTICAS ME HAN AYUDADO MUCHAS VECES.

NO SÉ SI QUIERO SABER MÁS...

¡JAJAJAJA! SÍ. ES MEJOR NO PREGUNTAR.

EN FIN, TODOS TENEMOS UN PASADO, ¿NO?

TIENES QUE SER MUY SILENCIOSO, ¿DE ACUERDO?

CLARO, ¿POR DÓNDE TENGO QUE IR?

POR ALLÍ.

GRACIAS, HÉCTOR.

BIEN, GAEL, YA SABES LO QUE TIENES QUE HACER.

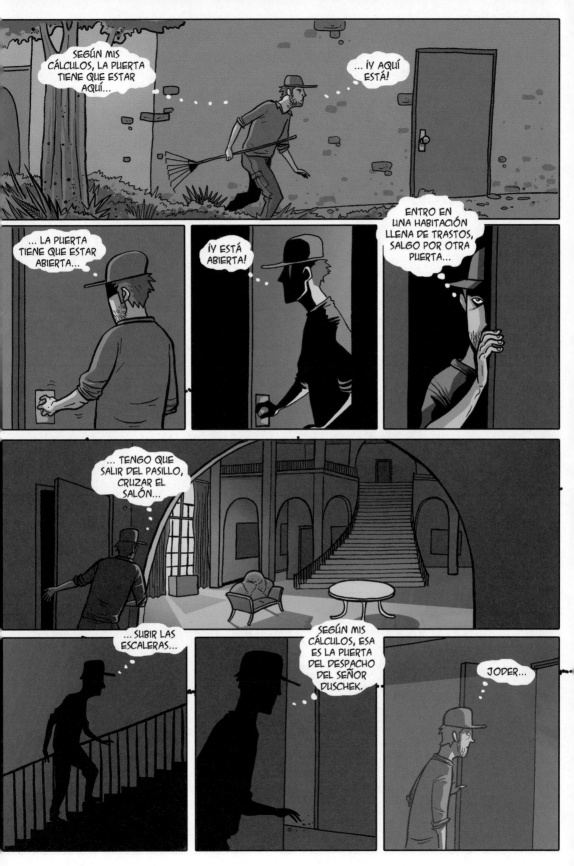

¡ESTE DESPACHO ES MÁS GRANDE QUE MI PISO!

AQUÍ ESTÁ LA CAJA FUERTE... ¿CÓMO VOY A ABRIRLA?

YO TAMBIÉN TE ECHO DE MENOS.

¡ES LA VOZ DE MARTA!

AHORA ESTOY EN LA MANSIÓN DUSCHEK.

HAN INVITADO A MI FAMILIA A PASAR UNOS DÍAS AQUÍ.

ESTA MANSIÓN SE HA CONVERTIDO EN MI CÁRCEL.

QUIERO VERTE, ¿VAS A VENIR A LA FIESTA?

YA, YA SÉ QUE ES PELIGROSO, PERO QUIERO VERTE.

¿CÓMO?

YA ME HAS OÍDO, NO QUIERO HACER EL TRABAJO.

NO PUEDES NO HACER EL TRABAJO, GAEL.

TE RECUERDO QUE MARTA YA HA PAGADO LA MITAD.

¿QUIERES MÁS DINERO?

NO QUIERE HACERLO.

NO, MICLAUS, NO QUIERO MÁS DINERO...

...EL PROBLEMA ES QUE ELLA... ...MARTA...

¿SÍ? ¿QUÉ PASA CON MARTA?

QUIZÁS TRABAJAR PARA MI EXNOVIA SÍ QUE ES UN PROBLEMA.

GAEL TIENE QUE INTENTAR EL ROBO.

TENEMOS QUE HACER ALGO.

¿PERO CUÁL ES EL PROBLEMA?

ELLA QUIERE A OTRO HOMBRE.

YA, Y TÚ TODAVÍA LA QUIERES.

Y NO QUIERES AYUDARLA A SER FELIZ CON OTRO.

NO... NO ES ESO...

¡Y UNA MIERDA QUE NO!

TENEMOS QUE TENDERLE UNA TRAMPA A GAEL.

GAEL, MARTA HA CONTRATADO A UN PROFESIONAL, Y TÚ ERES UN PROFESIONAL.

ASÍ QUE TIENES QUE HACER EL TRABAJO.

TIENES QUE SEPARAR TU CORAZÓN DE TU TRABAJO.

TENEMOS QUE RETARLE.

click

click

¿POR QUÉ TODO TIENE QUE SER TAN DIFÍCIL?

31

HOLA, RAMÓN.

?

TE HE VISTO DESDE EL PASEO MARÍTIMO.

¿PUEDO SENTARME?

CLARO.

HACE UNOS DÍAS QUE NO VAS AL BAR.

HE TENIDO PROBLEMAS LABORALES.

¿A QUÉ TE DEDICAS?

SOY... COLECCIONISTA DE ARTE.

¿Y QUÉ PROBLEMA TIENES?

UN PEQUEÑO PROBLEMA CON UN CLIENTE.

UN MALENTENDIDO.

¿Y QUÉ VAS A HACER?

VOY A ESPERAR UN POCO MÁS...

... QUIERO VER ADÓNDE ME LLEVA EL VIENTO.

4 DÍAS DESPUÉS. FALTAN 6 DÍAS PARA LA FIESTA

¿DÓNDE ESTÁS?

EN MAGALUF, EN UNA PISCINA.

¡OH, POR DIOS! ¿EN SERIO?

¡BOMBA VA!

SÍ, EN SERIO.

¿NO VAS A HACER TU TRABAJO?

TODAVÍA NO HE ENCONTRADO EL NÚMERO DE LA CAJA FUERTE.

AÚN NO LO SÉ.

¿Y QUÉ VAS A HACER?

NO LO

LA CAJA FUERTE N ME PREOC

SPLASH!

GAEL, NO PUEDES PARAR AHORA.

MICLAUS, A VECES ES MEJOR PARAR A TIEMPO...

¡JAJAJAJA!

¡TE VOY A PILLAR!

¡JAJAJA!

YA TE TENG...

...OOOOHH!

¡¡¡AAAAH!!!

SÉ DE LO QUE HABLO.

CHOF!

UN RATO MÁS TARDE

TENEMOS QUE DEVOLVER EL DINERO A MARTA.

SEGURO QUE MICLAUS YA SE HA GASTADO UNA PARTE, POR ESO INSISTE EN HACER EL TRABAJO.

?

¡HAN ENTRADO EN MI PISO! Y HAN ESCRITO UN NÚMERO. CREO QUE ES LA CLAVE DE LA CAJA FUERTE.

¿MICLAUS? SÍ, OYE... ALGUIEN HA ENTRADO EN MI CASA Y ME HA DEJADO EL NÚMERO DE LA CAJA FUERTE.

¿ALGUIEN HA ENTRADO EN CASA DE UN LADRÓN COMO TÚ?

EXACTO. HA ESCRITO UNA FIRMA: PALOMA.

¿PUEDES INVESTIGARLO?

44

FIESTA EN LA MANSIÓN DUSCHEK

BIEN, VAMOS A VER...

A MI DERECHA, A UNOS OCHO METROS, ESTÁ BASTIAN DUSCHEK.

ESTÁ FLIRTEANDO CON UNA CHICA.

EL SEÑOR DUSCHEK HABLA CON UNOS EMPLEADOS.

PARECE PREOCUPADO.

A SEÑORA DUSCHEK ESTÁ A MI IZQUIERDA, HABLANDO CON UNA AMIGA.

LA MADRE DE MARTA ESTÁ PASANDO UN BUEN RATO JUNTO A LA MESA DE LOS APERITIVOS.

EL PADRE DE MARTA ESTÁ LEJOS, PARECE ABURRIDO.

PERO... ¿Y MARTA?

¿DÓNDE ESTÁ MARTA?

VAMOS ALLÁ...

AQUÍ TAMPOCO ESTÁ MARTA...

MARTA, ¿POR QUÉ ME HAS ELEGIDO A MÍ PARA ESTE TRABAJO?

PARA TI SOLO SOY UN LADRÓN, YA NO SIENTES NADA POR MÍ.

EL PROBLEMA ES MÍO, QUE CADA DÍA ME ACUERDO DE TI.

AÚN NO HE APRENDIDO A OLVIDARTE.

¡OH, MIERDA!

¿QUÉ HACE MARTA AQUÍ?

Y... ¿QUIÉN ES ÉL?

CARIÑO, ¿QUÉ TE PARECE SI SUBIMOS AL PISO DE ARRIBA?

¿EH? ¿QUÉ PASA? ¿DÓNDE ESTAMOS?

¡PLAF!

¡CRACK!

¡AAAH!

CATAPÚM

¿PERO QUÉ ESTÁ PASANDO? ¡AH!

ZASCA!

¡BASTA!

¡BASTA, GAEL!

creck!

¡¡AAAHMM MMMFF!!

¡¡HMM!!

¡¡MMMFFM FFFMM MMM!!!

¡¡HMMM!

¡¡HMMM!

¡¡MMM!!

SILENCIO, GÓMEZ.

!?

VOY A QUITARTE LA MORDAZA Y A EXPLICÁRTELO TODO, ¿DE ACUERDO?

PERO NO PUEDES GRITAR.

SI GRITAS, TE VOY A HACER DAÑO.

MUCHO DAÑO.

¿QUÉ... COJONES HA... PASADO?

¿POR QUÉ SABES MI NOMBRE?

NECESITO SABERLO.

ME TEMO QUE YA LO SABES.

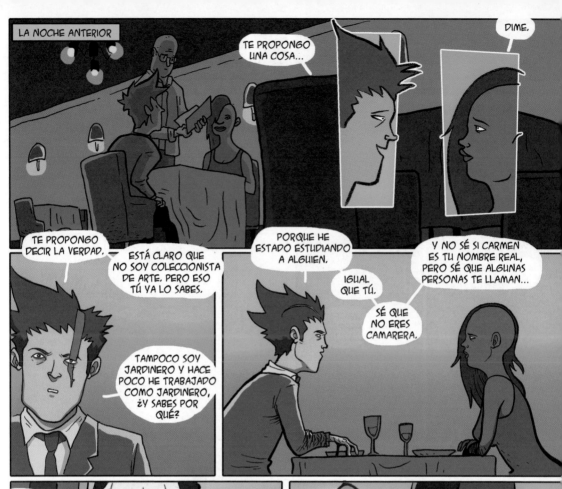

LA NOCHE ANTERIOR

TE PROPONGO UNA COSA...

DIME.

TE PROPONGO DECIR LA VERDAD.

ESTÁ CLARO QUE NO SOY COLECCIONISTA DE ARTE. PERO ESO TÚ YA LO SABES.

PORQUE HE ESTADO ESTUDIANDO A ALGUIEN.

IGUAL QUE TÚ.

Y NO SÉ SI CARMEN ES TU NOMBRE REAL, PERO SÉ QUE ALGUNAS PERSONAS TE LLAMAN...

SÉ QUE NO ERES CAMARERA.

TAMPOCO SOY JARDINERO Y HACE POCO HE TRABAJADO COMO JARDINERO, ¿Y SABES POR QUÉ?

... PALOMA

¿Y CÓMO SE LLAMA EL HOMBRE QUE ME SIGUE A TODOS LADOS?

GÓMEZ.

ES UN INÚTIL. HACE SEMANAS QUE SÉ QUE ME SIGUE.

¿SABES LO QUE TENEMOS QUE HACER?

TRABAJAR JUNTOS.

¿NO TE PARECE UNA BUENA IDEA?

AQUÍ ESTÁ, EL FINAL DE MI HISTORIA CON MARTA.

UNA HISTORIA QUE AHORA SOLO ES PAPEL MOJADO.

CHOF

Y DIME, PALOMA...

¿ADÓNDE VAMOS AHORA?

ADONDE NOS LLEVE EL VIENTO.

FIN

Glosario
y actividades

Glosario en inglés, francés y alemán

Glosario español-portugués disponible gratis en **www.difusion.com/gael-sombras-br**

	INGLÉS	FRANCÉS	ALEMÁN
Página 9			
quejarse	complain	se plaindre	sich beschweren
todo el mundo	everybody	tout le monde	alle (Welt), jeder
Página 10			
robar	steal	voler	stehlen
prensa	news	presse	Presse
estar saliendo con (alguien)	you're going out with	sortir avec (quelqu'un)	mit jemandem (als Liebespaar) zusammen sein
poderoso/-a	powerful	puissant/-e	mächtig
mentira	a lie	mensonge	Lüge
tonto/-a	stupid	idiot/-e	dumm
prometer (algo) a cambio	he has promised him something in exchange	promettre (quelque chose) en échange	etwas als Gegenleistung versprechen
contrato de propiedad	deeds	contrat de propriété	Grundstücksvertrag
creer	believe	croire	glauben
destruir	destroy	détruire	vernichten
Página 11			
dentro de	in	dans	in
anunciar	announce	annoncer	bekannt geben
compromiso	engagement	fiançailles	Verlobung
embarazoso/-a	embarrassing	embarrassant/-e	peinlich, unangenehm
billete de ida	one-way ticket	billet aller	Hinflugticket
¿y bien?	So?	et alors ?	und (was sagst du dazu)?
Página 12			
cuenta conmigo	you can count me in	compte sur moi	Ich bin dabei!

	INGLÉS	FRANCÉS	ALEMÁN

Página 13

	INGLÉS	FRANCÉS	ALEMÁN
ahora mismo	right now	maintenant même	jetzt gerade
terraza	outdoor cafe	terrasse	Terrasse
mansión	mansion	maison de maître	Villa
acuerdo	agreement	accord	Vereinbarung
estupendo/-a	great	génial/-e	bestens
no es asunto tuyo	it's none of your business	ce ne sont pas tes affaires	das geht dich nichts an
¿cuánto te debo?	how much (is the beer)?	je te dois combien ?	Was macht das?
hasta pronto	see you soon	à bientôt	bis bald

Página 14

por cierto	by the way	au fait	übrigens
estar seguro/-a	I'm not sure	être sûr/-e	sicher sein
de acuerdo	all right	d'accord	einverstanden
tener razón	is right	avoir raison	Recht haben
planear	plan	organiser	planen
escapar	Get away	échapper	entwischen

Página 15

bastar	that's enough	suffire	reichen
centrarse en (algo)	focus on	se concentrer sur (quelque chose)	sich (auf etwas) konzentrieren
olvidarse de (algo)	forget about	oublier (quelque chose)	(etwas) vergessen
prueba	proof	preuves	Beweis
demostrar (algo) con hechos	back it up with facts	démontrer (quelque chose) avec des faits	(etwas) mit Tatsachen belegen
con las manos en la masa	red-handed	la main dans le sac	auf frischer Tat

Página 16

cárcel	jail	prison	Gefängnis
seguir (a alguien)	I've been following (you)	suivre (quelqu'un)	(jemanden) verfolgen
incluso	(I) even (know)	même	sogar

	INGLÉS	FRANCÉS	ALEMÁN

Páginas 18-19

sombra	shadow	ombre	Schatten

Página 20

no es tu problema	it isn't your problem	ce n'est pas ton problème	das ist nicht dein Problem

Página 21

mirar con atención	stare	regarder attentivement	aufmerksam ansehen, anstarren
¡claro!	of course	bien sûr !	Natürlich!
un hombre/ una mujer de costumbres	a creature of habit	avoir ses habitudes	Gewohnheitsmensch

Página 22

dar un paso	take a step	faire un pas	einen Schritt tun
tomar una decisión	make a decision	prendre une décision	eine Entscheidung treffen
jardín	yard	jardin	Garten

Página 23

plano	map	plan	Plan
encontrar	find	trouver	finden
jardín trasero	back yard	jardin arrière	Hintergarten
caja fuerte	safe	coffre-fort	Tresor
servicio de jardinería	gardening service	service de jardinerie	Gartenpflegedienst
despacho	office	bureau	Arbeitszimmer
improvisar	improvise	improviser	improvisieren

Páginas 24-25

contactar con	contact	contacter	Kontakt aufnehmen
meterse	get me	s'infiltrer	einschleusen
dejar	let	laisser	lassen
darse prisa	hurry	se hâter	sich beeilen
el tiempo es oro	time is money	le temps c'est de l'argent	Zeit ist Geld

	INGLÉS	FRANCÉS	ALEMÁN

Página 26

	INGLÉS	FRANCÉS	ALEMÁN
dejar entrar (a alguien)	letting me in	laisser entrer (quelqu'un)	(jemanden) eintreten lassen
silencioso/-a	quiet	silencieux/-euse	leise

Página 27

	INGLÉS	FRANCÉS	ALEMÁN
según mis cálculos	according to my calculations	selon mes calculs	nach meinen Berechnungen
trastos	junk	vieilleries	Gerümpel
pasillo	corridor	couloir	Gang
cruzar	cross	traverser	durchqueren
salón	living room	salon	Wohnzimmer
subir/bajar las escaleras	go up/go down the stairs	monter/descendre les escaliers	Treppen hinauf-/hinuntergehen

Página 28

	INGLÉS	FRANCÉS	ALEMÁN
te echo de menos	I miss you	tu me manques	ich vermisse dich
peligroso/-a	dangerous	dangereux/-euse	gefährlich

Página 29

	INGLÉS	FRANCÉS	ALEMÁN
vaya, vaya...	well, well...	tiens donc...	soso...

Página 30

	INGLÉS	FRANCÉS	ALEMÁN
recordar (algo a alguien)	let me remind (you)	rappeler (quelque chose à quelqu'un)	(jemanden an etwas) erinnern

Página 31

	INGLÉS	FRANCÉS	ALEMÁN
¡y una mierda!	the hell	et mon œil !	Und ob es das ist!
tender una trampa	set a trap	tendre un piège	eine Falle stellen
separar	separate	séparer	trennen
retar	challenge	défier	herausfordern

	INGLÉS	FRANCÉS	ALEMÁN

Página 33

	INGLÉS	FRANCÉS	ALEMÁN
desde el paseo marítimo	from the promenade	depuis la promenade maritime	von der Strandpromenade aus
sentarse	sit down	s'asseoir	sich setzen
problemas laborales	work problems	problèmes au travail	berufliche Probleme
dedicarse a	what do you do?	se consacrer à	beruflich machen
coleccionista de arte	art collector	collectionneur d'art	Kunstsammler
malentendido	misunderstanding	malentendu	Missverständnis
me lleva el viento	where the wind blows me	le vent me porte	wohin der Wind mich treibt

Página 34

	INGLÉS	FRANCÉS	ALEMÁN
¡bomba va!	torpedo!	bombe !	Prost!
preocupar	worry	se soucier	Sorgen machen
pillar	catch	prendre	kriegen

Página 35

	INGLÉS	FRANCÉS	ALEMÁN
devolver	return	rendre	zurückgeben
dinero	money	argent	Geld
gastar	has spent	dépenser	ausgeben
insistir en (algo)	insists on	insister à (quelque chose)	auf etwas bestehen
ladrón	thief	voleur	Dieb
firma	signature	signature	Unterschrift
investigar	investigate	enquêter	nachforschen

Página 36

	INGLÉS	FRANCÉS	ALEMÁN
cuadro	painting	tableau	Gemälde
escultura	sculpture	sculpture	Skulptur
obra	work	œuvre	Kunstwerk
devolver	have been returned	rendre	zurückgeben
aparecer	appear	apparaître	erscheinen
detención	arrest	arrestation	Festnahme
estar libre	is free	être libre	auf freiem Fuß
sospechoso/-a	suspicious	suspect/-e	verdächtig
colaborador/-a	snitch	collaborateur/-trice	Mitarbeiter/in

Página 37

viento	wind	vent	Wind
me alegro de verte	I'm happy to see you	je me réjouis de te voir	ich freue mich, dich zu sehen
contar (algo a alguien)	tell	raconter (quelque chose à quelqu'un)	(jemandem etwas) erzählen
¿qué te parece si...?	what if...	ça te dit de...?	Was hältst du davon, wenn...?
es una gran idea	that's a great idea	c'est une grande idée	das ist eine großartige Idee

Página 38

atrapar	catch	attraper	erwischen
preparado/-a	ready	prêt/-e	vorbereitet
dudar de	are you doubting	douter de	zweifeln an
salir bien/mal	go right/wrong	bien/mal marcher	gut-/schiefgehen
absolutamente	absolutely	absolument	absolut

Página 40

corriente artística	artistic period	courant artistique	Kunstrichtung
dar dinero (algo)	makes money	être rentable (quelque chose)	Geld einbringen
no es justo	this isn't fair	ce n'est pas juste	das ist nicht fair
mentir	lie	mentir	lügen

Página 41

un rato más tarde	a little later	un peu plus tard	eine Weile später

Página 42

a la mañana siguiente	the next morning	le lendemain	am nächsten Morgen
la suerte está echada	the dice are thrown	le sort en est jeté	die Würfel sind gefallen

	INGLÉS	FRANCÉS	ALEMÁN
Página 44			
disfrutar	enjoy	profiter	genießen
salir bien (algo)	go fine	bien marcher (quelque chose)	gelingen
salir en los periódicos	be in the newspapers	paraître dans les journaux	in die Zeitungen kommen
titular	headline	titre	Überschrift
noticia	news	nouvelle	Meldung
heroico/-a	heroic	héroïque	heldenhaft
detener	arrest	arrêter	festnehmen
salir por la tele	be on television	sortir à la télé	ins Fernsehen kommen
convertirse en una leyenda	become a legend	devenir une légende	zur Legende werden
hacer historia	make history	faire histoire	in die Geschichte eingehen
Página 45			
a mi derecha	on my right	à ma droite	rechts von mir
flirtear con	flirt with	flirter avec	flirten mit
empleado/-a	employee	employé/-e	Angestellter/ Angestellte
mi izquierda	on my left	ma gauche	links von mir
pasar un buen rato junto a (algo o alguien)	have a good time with	passer un bon moment avec	sich längere Zeit (bei jemandem oder etwas) aufhalten
aperitivo	appetizers	apéritif	Snack
lejos	far away	loin	weit entfernt
aburrido/-a	bored	ennuyeux/-euse	gelangweilt
Página 46			
vamos allá	we're going there	on y va	Es geht los
¡oh!	oh!	oh !	oh!
¡mierda!	shit!	merde !	Scheiße!
piso de arriba/abajo	upstairs/downstairs	étage d'en haut/ d'en bas	oberes/unteres Stockwerk

	INGLÉS	FRANCÉS	ALEMÁN
Página 47			
pararse	stop	s'arrêter	stehen bleiben
vamos	let's go	allons-y	na los
Página 49			
quitarle (a alguien) la mordaza	take the gag off	retirer (à quelqu'un) le bâillon	(jemandem) den Knebel herausnehmen
gritar	shout	crier	schreien
hacer daño	hurt	faire mal	wehtun
¿qué cojones…?	what the hell?	mais bordel… ?	was zum Teufel…?
temerse (algo)	I'm afraid	craindre (quelque chose)	(etwas) befürchten
Página 50			
noche anterior	the night before	nuit précédente	Abend zuvor
proponer (algo a alguien)	I have a proposition (for you)	proposer (quelque chose à quelqu'un)	(jemandem etwas) vorschlagen
decir la verdad	tell the truth	dire la vérité	die Wahrheit sagen
estudiar	studying	étudier	überprüfen, unter die Lupe nehmen
igual que tú	just like you	comme toi	genau wie du
(ser un/-a) inútil	useless	(être un/-e) inutile	(jemand ist) zu nichts zu gebrauchen
Página 51			
honestamente	honestly	franchement	ehrlich gesagt
perder tiempo	we've wasted a lot of time	perdre le temps	Zeit verlieren
perseguir sombras	chasing shadows	chasser les ombres	Schatten verfolgen
demasiado tarde	too late	trop tard	zu spät
atrapar	catch	attraper	erwischen
victoria	victory	victoire	Sieg
traicionar a (alguien)	double crossed (me)	trahir (quelqu'un)	(jemanden) verraten

	INGLÉS	FRANCÉS	ALEMÁN
Página 52			
enorme	huge	énorme	riesig
¡hostia!	shit!	putain !	ach du Schande!
¡joder!	fuck!	merde !	verdammte Scheiße!
Página 53			
¡estás loco/-a!	you're crazy!	tu es fou/folle !	du bist verrückt!
meter la pata	I put my foot in it	mettre les pieds dans le plat	Mist bauen
Página 54			
¿qué está pasando?	what's happening?	qu'est-ce qui se passe ?	was ist hier los?
¡ayuda!	help	au secours !	Hilfe!
saltar por la ventana	jump out the window	sauter par la fenêtre	aus dem Fenster springen
complicarse (algo)	go sideways	se compliquer (quelque chose)	sich komplizieren
Página 55			
saltar	jump	sauter	springen
agarrar (a alguien)	hold	saisir (quelqu'un)	(jemanden) auffangen
ahí está	there it is	le/la voilà	Dort ist es
roca	rock	rocher	Fels
playa	beach	plage	Strand
¡a por ellos!	get them!	attrapons-les !	holen wir sie uns!
más o menos	more or less	plus ou moins	mehr oder weniger
correr	run	courir	laufen
Página 56			
hacer negocios	do business	faire des affaires	Geschäfte machen
cerca	close	près	fast da
¡malditos cabrones!	fucking assholes!	fichus bâtards !	verdammte Arschlöcher!
¡vamos, vamos!	come on, come on!	allons, allons !	los, komm schon!

	INGLÉS	FRANCÉS	ALEMÁN
Página 57			
¡dale caña!	hurry up!	mets les moteurs à fond !	gib Gas!
lancha motora	motorboat	vedette	Motorboot
Página 58			
vender	sell	vendre	verkaufen
aprender una lección	learn (their) lesson	retenir une leçon	eine Lektion lernen
¿no os parece?	don't you think?	vous ne croyez pas ?	meint ihr nicht?
moneda de cambio	bartering chip	monnaie d'échange	Tauschobjekt, Zahlungsmittel
muchacho/-a	girl	mec/ nana	Junge/Mädchen
¡así se habla!	that's it!	bien dit !	das ist doch mal eine Ansage!
siglo	century	siècle	Jahrhundert
pisar	set foot	mettre les pieds	betreten
nunca más	ever again	plus jamais	nie wieder
Página 59			
maldición	damn	malédiction	verflucht!
¡maldita sea!	damn you!	bordel !	verdammt nochmal!
aquí tienes	here you go	le/la/les voici	hier, nimm
algún punto del mar Mediterráneo	somewhere in the Mediterranean	un lieu de la Méditerranée	irgendwo am Mittelmeer
Página 60			
final	end	fin	Ende
papel mojado	a useless piece of paper	lettre morte	wertloses Stück Papier
adonde nos lleve el viento	wherever the wind blows us	là où le vent nous porte	wohin der Wind uns treibt

Actividades

1. Después de leer esta aventura de Gael, ¿qué relación tiene la historia con el título "Las sombras de la huida"? ¿De qué huye Gael?

....

....

....

2. ¿Qué relaciones hay entre los personajes? Completa el esquema con los números correspondientes.

1. madre

2. padre

3. hija

4. hijo

5. marido

6. mujer

7. exnovio

8. socio

9. jefe

10. colaboradora

11. amante

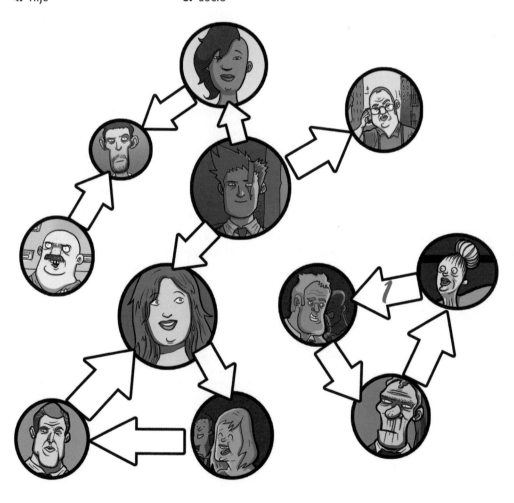

3. **¿Cómo son los protagonistas de la historia? Completa sus fichas personales. Puedes usar estas palabras u otras.**

Descripción psicológica
atrevido/a, cobarde, misterioso/a, valiente, perfeccionista, profesional, despistado/a, preocupado/a, interesante

Descripción física
alto/a, bajo/a, delgado/a, gordo/a, feo/a, guapo/a, atractivo/a, fuerte, flojo/a, atlético/a, rubio/a, moreno/a

Nombre:

....

¿Cómo es? Describe su físico y su personalidad.

....
....
....
....
....
....
....

Nombre:

....

¿Cómo es? Describe su físico y su personalidad.

....
....
....
....
....
....
....

Nombre:

....

¿Cómo es? Describe su físico y su personalidad.

....
....
....
....
....
....
....

Nombre:

....

¿Cómo es? Describe su físico y su personalidad.

....
....
....

4. ¿Quién hace estas cosas en la historia? Escribe el número del personaje o personajes correspondientes.

1. Gael   **2.** Paloma   **3.** Marta   **4.** Gómez   **5.** Bastian

a. Quiere evitar una boda.	
b. Salta por una ventana.	
c. Organiza un robo.	
d. Fracasa en su objetivo.	
e. Usa unos prismáticos.	
f. Alquila una lancha motora.	
g. Cae en una trampa.	
h. Grita en una playa.	
i. Miente sobre su nombre.	
j. Entra en el despacho del señor Duschek.	
k. Colabora con la policía.	

5. ¿Qué otras cosas hacen? Escribe, al menos, una para cada personaje.

Gael

....

Paloma

....

Marta

....

Gómez

....

Bastian

....

6. Ayuda a Gómez a construir su mensaje de socorro. Ordena cada frase y escríbelas en el bocadillo.

1. ¡ favor, ! ayúdame Por
2. problema llamo y tengo Me un Gómez.
3. atado silla ladrón ha Un a esta me
4. ¡ ese atrapar a Necesito maldito!
5. a policía que Tenemos avisar la.
6. que el evitar Hay robo.

7. ¿A quién describen estas frases? Fíjate en las imágenes y márcalo en la tabla.

	A	B	C	D	E
1. Lleva camisa.					
2. Lleva traje.					
3. Lleva un vestido.					
4. Lleva pantalones cortos.					
5. Lleva camiseta de manga corta.					
6. Lleva gafas.					
7. Tiene el pelo corto.					
8. Está calvo/a.					
9. Tiene pelo en la cara.					
10. Tiene un estilo elegante.					
11. Viste de manera informal.					
12. Lleva uniforme.					
13. Lleva pantalones largos.					
14. Lleva zapatillas.					
15. Tiene el pelo largo.					
16. Lleva corbata.					
17. Está sentado/a.					
18. Está de pie.					
19. Lleva joyas.					
20. Tiene la cabeza rapada.					

8. La historia de Gael tiene lugar en Mallorca. Escribe 5 datos interesantes sobre esta isla. Si lo necesitas, usa internet.

....

....

....

....

....

9. Propón lugares reales para la noche entre Gael y Paloma. Si lo necesitas, usa internet.

Un lugar para pasear: ....

Un buen restaurante: ....

Un lugar para tomar algo: ....

Una discoteca: ....

10. Describe esta escena de la historia.

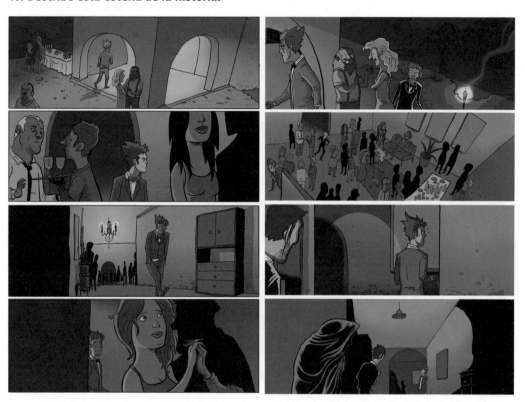

VERBOS	SUSTANTIVOS
entrar	pasillo
cruzar	salón
mirar	jardín
esconderse	entrada
asomarse	mueble
caminar	gente
seguir	fiesta
observar	luz
espiar	sombra

11. Completa esta ficha sobre la segunda aventura de Gael.

Título:

Mi título alternativo:

Personajes principales:

Argumento:

Mi puntuación (del 1 al 10):

Marco mi opinión:
Me parece una historia muy buena ◯ / muy mala ◯.
Creo que es un cómic muy entretenido ◯ / muy aburrido ◯.
Hay escenas muy divertidas ◯ / muy aburridas ◯.
La historia es sorprendente ◯ / previsible ◯.

Desarrollo mi opinión:

Este libro se terminó
de imprimir en la
primavera de 2017 en la
ciudad de Barcelona.